Y0-AEU-071

붉은 고양이
푸른 고양이
당근이 싫어요
토끼의 하루

새와
나무의
우정
고래
이야기
W
나의
미래
무대 뒤의
고양이
글 해리엇 지퍼트
그림 제니 데스몬드
우리 가족
오늘의 공연
동화구연 QR코드

예술을 사랑하는 내 친구들과 가족들을 위하여
- 해리엇 지퍼트

TK를 위하여
- 제니 데스몬드

글 **해리엇 지퍼트**

미국에서 태어나 초등학교 교사로 일하다가 〈안나의 빨간 외투〉, 〈동전으로 무엇을 살까?〉 등의 작품으로 유명한 작가가 되었습니다. 동물 인형을 좋아하는 다섯 명의 손자, 손녀를 보면서 많은 것을 배웠다고 합니다. 강아지, 토끼, 테디베어, 그리고 분홍색 담요에 얽힌 자신의 경험을 토대로 많은 글을 썼습니다.

그림 **제니 데스몬드**

화가로 활발히 활동하고 있으며 그림책을 쓰고 그리는 작업을 가장 좋아합니다. 첫 번째 그림책인 〈빨간 고양이 파란 고양이〉가 2013년 캐임브리지셔 'Read it Again' 그림책 상을 수상했습니다. 지금은 그림책을 비롯한 다양한 작업을 하고 있습니다. 주요 작품으로 〈첫 번째 슬로지〉, 〈흰긴수염고래〉 등이 있습니다.

옮김 **김은재**

대구교육대학교에서 영어 교육을 전공했습니다. 지금은 경기도의 초등학교에서 아이들을 가르치고 있습니다. 매주 아이들에게 좋은 그림책을 찾아 소개하고 읽어 주다가, 번역까지 하게 됐습니다. 옮긴 책으로 〈마법이 시작될 거야!〉, 〈그림자가 사는 마을〉 등이 있습니다.

무대 뒤의 고양이

초판 1쇄 펴낸날 2016년 9월 30일 | **글** 해리엇 지퍼트 | **그림** 제니 데스몬드 | **옮김** 김은재
펴낸이 박형만 | **펴낸곳** 도서출판 (주)키즈엠
편집책임 오혜숙 | **편집** 천미진, 신경아, 박수연, 박종진 | **디자인** 한지혜, 이동훈, 최윤정
제작 김선웅, 박지훈 | **마케팅** 정승모, 이경학 | **출판번호** 제396-2008-000013호
주소 서울시 강남구 봉은사로 115, 3층(논현동)
전화 1566-1770 | **팩스** 02-3445-6450 | **홈페이지** www.kidsm.co.kr
ISBN 978-89-6749-677-7, 978-89-97366-13-2(세트)

Backstage Cat

이 도서의 국립중앙도서관 출판예정도서목록(CIP)은 서지정보유통지원시스템 홈페이지(http://seoji.nl.go.kr)와
국가자료공동목록시스템(http://www.nl.go.kr/kolisnet)에서 이용하실 수 있습니다.
(CIP제어번호 : CIP2016017632)

나는 무대 뒤의 고양이야.
내 주인은 유명한 배우지.
나는 내 주인과 함께
크고 멋진 차를 타고
극장에 왔어.

공연이 시작되기 한참 전이라
아직 관객들은 없었어.

우리는 곧장 분장실로 향했어.

난 혼자 걷는 걸 더 좋아하는데,
내 주인은 더 빨리 가려고 나를 내내 안고 걸었어.

나는 내 주인이
공연 준비를 하는 걸
지켜봤어.
내 주인은 이번 공연의
주인공이지.

내 주인은…….

볼을 붉게 칠하고,

속눈썹은 더 길게,

입술은 빨갛게,

반짝이는 팔찌와

붉은 가발,

멋진 구두,

푸른색 의상을 갖췄어.

그때 안내 방송이 들렸어.
"이제 곧 공연을 시작합니다!"

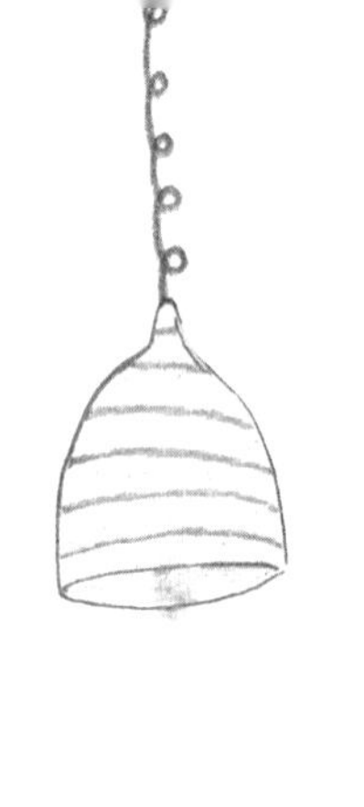

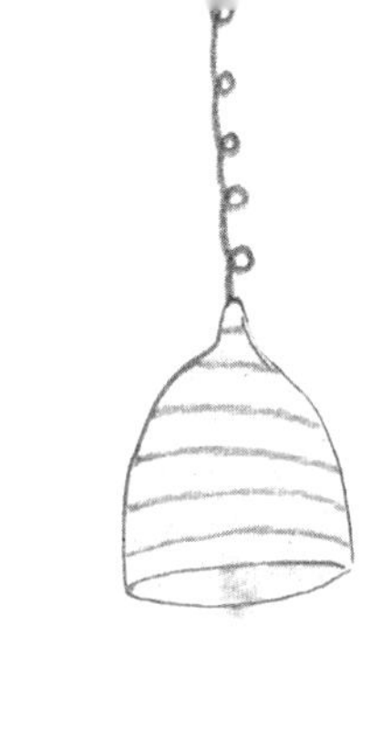

"다녀올게, 사이몬. 착하게 있어야 해."
내 주인이 내게 말했어.

하지만 문이
닫히기 전에……,

나는 복도로 달려 나가는 무언가를 봤어.
얼른 쫓아 나갔지!

'여기가 어디지?'

난 알 수 없었지만, 볼 만한 게 꽤 많았어.

가구, 전등, 빗자루, 그리고 의상들…….

무대 위에는 두 사람이
이야기를 나누고 있었어.
"무슨 이야기를 하는 걸까?"

나는 무대 쪽으로 고개를 살짝 내밀었어.

그런데 그때,

쿵!

아주 요란한 소리가 났어.

커다란 무언가가 떨어졌지.

난 정말 깜짝

놀라서

후다닥 도망갔어.

계속 달렸지.

무대 위까지!
무대 위에는
자작나무들이 있었어.
난 가장 가까운 나무 위로
오르기 시작했어.

나는 자작나무 꼭대기까지 올라가서
들키지 않도록 몸을 동그랗게 말았어.

그때 공연의 감독이
크게 소리쳤어.

“사이몬. 어서 이리 내려와!
너 때문에 공연이 멈췄잖아!”

하지만 너무 놀란 나는
더 높은 나무로 올라갔어.

감독은 당황한 목소리로
무대 담당자들을 불렀어.

무대 담당자가 소리쳤어.

“사이몬, 널 위해
맛있는 걸 준비했어!
이리 내려오렴.”

하지만 난 먹고 싶지 않았어.
내려가고 싶지도 않았지.
그래서 이번에는 샹들리에로
폴짝 뛰어 올라갔어.

무대 담당자는
조명 담당자를
불렀어.

조명 담당자가 소리쳤어.

"사이몬, 샹들리에에
올라가면 안 돼. 위험해!
이리 그냥 뛰어내려!
내가 잡아 줄게!"

난 여기서 뛰어내리는 건
더 싫었어.

그래서 더 높은 곳으로 올라가
무대 조명 사이로 숨었어.

그러자 사람들이 모여 소리쳤어.

"사이몬, 너 다 보여.
숨어도 소용없으니까 어서 내려와!"

감독은 머리를 감싸 쥐고 괴로운 듯 소리쳤어.

"틀렸어! 아무리 말해도 소용없어.
어서 저 고양이의 주인을 불러와!"

그러자 내 주인이 와서
부드럽게 말했어.

"사이몬, 착하지. 얼른 이리
내려오렴. 내려오면 뽀뽀도
해 주고, 네가 좋아하는
간식도 줄게. 그런 다음
공연을 보여 줄게."

노랫소리?

내 주인이 노래를
부르기 시작했어.
내가 매일 듣던
친근한 노래였지.
난 마음이 편안해졌어.
난 마음을 놓고
조심스럽게 내려왔지.

내 주인은 약속을 지켰어.
내 얼굴에 뽀뽀해 주었지.

그리고 내가 공연을
가까이서 볼 수 있게
아주 특별한 자리를
마련해 주었어.

악단과 배우들은
제자리로 돌아갔어.
그리고 다시 공연이 시작됐지.

하지만 얼마 못 가……,

작은 훼방꾼 하나가
무대 위를 지나갔어.
나는 날쌔게 훼방꾼을 뒤쫓았지.

공연은 무사히 끝났어.
그리고 나도 유명해졌지!

의상을 갈아입은 내 주인과 나는 극장 앞으로 갔어.

거기서 관객들 모두에게 사인을 해 주었어.